DRAGOI IPURTERREA

ISTORIO SUTSU BAT

Picarona

Jamesi, Katieri & Lucyri

Kontsultatu hemen gure katalogoa: www.picarona.net

Dragoi ipurterrea

Testua/Irudiak: Beach

1. argitalpena: 2022ko martxoa

Jatorrizko izenburua: *The Dragon With The Blazing Bottom*

Itzulpena: *Iñigo Satrustegi*
Maketazioa: *Carol Briceño*
Zuzenketa: *Fernando Rey*

© 2021 Beach.
Argitalpena Simon & Schuster UK Ltd. argitaletxearekin hitzartuta.
1st Floor, 222 Gray's Inn Road, London, WC1X 8HB, UK. A CBS Company
(Eskubide guztiak erreserbaturik)
© 2022, Ediciones Obelisco, SL
(Euskarazko bertsioaren eskubide guztiak erreserbaturik)

Argitaratzailea: Picarona, Ediciones Obelisco SLren haurrentzako zigilua
Collita, 23-25. Pol. Ind. Molí de la Bastida
08191 Rubí - Bartzelona - Espainia
Tel. 93 309 85 25
E-mail: picarona@picarona.net

ISBN: 978-84-9145-522-6
Lege Gordailua: B-15.778-2021

Printed in China

DRAGOI IPURTERREA

Egilea: BEACH

Goizean goiz jaiki zen Dragoia egun batez,
Ekain jaunarekin ibiltzeko han hemen gogoz eta adorez!

Saltoka zebilen, dinbi eta danba betiko moduan,
baina bat-batean…

Gaizki zebilen zerbait,
sumatuz segituan.

Putz eta putz egin zuen, baina
ez zen txinpartarik,
ezta kerik ere, alajaina!

—Sua galdu al duzu?–,
galde egin zion jaunak.
—Ziurrenik, sukarra.
Ez kezkatu, lagun
baduzu nahikoa indarra.

—Egin dezakezu ulutan,
edo aurpegi zatarra jarri,
mugitu isatsa zirkulutan.

Orroak eta atzaparrak
dira aukera ona.

Bekokia belzten baduzu…
Hori ezinegona!.

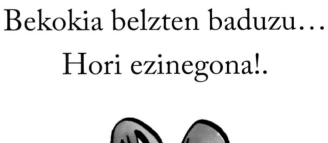

—GELDI!–, esan zion Dragoiak.– Ez al dakizu nor naizen?
Su-dragoia naiz ni. Hala dio izenak.
Bidean jartzen diren zaldunak
erretzen ditut denak!.

—Hori hala bada–, erantzun zuen,– zabaldu ahoa.
Eta Dragoiak, –Aaaaa– esaten zuela, arretaz jarri zion soa.

—Ene bada, ene bada.
Ene bada, maitea.

—Zer dut, jauna, ez badira sua eta kea?

—Haginak–, esan zuen astiro,– dituzu OSO zikin.

Sekula ez dut ikusi mihi bat
kolore honekin!

Hatsa txarra da, baina
txarragoak ere badira.

Zure dieta ez da ona–, arretaz begira.

Eta esan zuen Ekainek zaldun onaren jarreraz:
—Plan bat daukat, beldurrik ez, beraz!

—Ezagutzen dut errezeta,
kixkaltzen duena;
azkenengoz egin nuenean,
ia erre nuen dena.

—Hori da behar dudana–, esan zuen Dragoiak pozez.

—Sua berreskuratu eta ez naiz hilko gosez.

Luma hartu, eta hasi zen idazten zalduna:

—Afari beroa egiteko, hauxe da behar duguna…

—…zazpi aingira bizi, gehi sei ikatz-zaku,

horri ahal bezainbeste olio behar zaio batu.

Bi mila ipurtargi, eta sute txiki bat.

Kaktus txikiak ere bai,

txarrantxan bilduak.

Lapikoa borborka ari zen, garretan sua.

—Hara!—, Dragoiak harriduraz,—
Hori da hori menu MAMITSUA!.

Trago batez edan zuen
eta pertza zuen hustu.

—Sua berreskuratzeko,
hauxe behar nuen hain justu.

Ene lagun txikia, ongi zaindu zure beldurrak
DENA SUTAN jarriko baitu
dragoi maltzurrak.

Bildu zituen indar guztiak, itotzeko moduko orro batean…

Baina ez zuen inolaz ere lortu.
Su izpirik ez bere eztarriko hatsean.

—Egon, ez, ez... Ezingo nuke erre zure burdin-jantzia,
hobe nuke egurrarekin saiatu. Hona nire irrintzia...

Eta enborrari egin zion putz…
Ezinean, behin eta berriz, huts.

Saiatu zen adarrarekin,

makila batekin,

adaxka batekin…

Baina saiatu arren bere indar guztiez,
han ez zen ke beltzik, ezta sugar txikiena ere ez.

Halako batean, Dragoia zerraldo zen erori.

—Leher eginda nago, bukatu da putz egite hori.

Nik amore eman beharko dut, ziur egon zaitez, bai,

surik gabe ez bainaiz honetarako gai.

—Mesedez, —erantzun zion Ekainek— egon, beraz, lasaiago.
Zaldunak kixkaltzea baino hoberik badago.
Surik gabe ere asko egin dezakezu.
Bihotz eta arima handiak dituzu, ez kexu.

Eta…

Isildu egin zen.

Dragoia ordurako ez zegoen entzuten.
Sudurreko zuloetatik txistu bat aditzen zen…

Haginak gorritu eta belarriak zitzaizkion tentetu.
Gorputz osoa zuen bero-bero.

Hatzaparrak txinpartaka zituen,
orro beldurgarri batek ihes egin zion gero.

—SUA!– egin zuen oihu Dragoiak, begiak dirdiran.
Sorpresa hartu zuten bi lagunek segidan.

Suak atera behar zuenean…
Hots bitxi bat entzun zuen atzealdean.

Antza, Dragoiaren gorputzak
bihurtu zituen sugar beldurgarriak…

—Ene bada!–, esan zuen Ekain jaunak eutsiz bere sudurrari.
—Ez nuen espero halakorik. Zu bai danborrari!

Barruan baino, hobe kanpoan, noski.
Puzker horiekin zaldunak garaituko dituzu airoski.

Nahiz eta ez den ohiko lekutik,
tripa dauka Dragoiak suaz beterik.

Bistan da ipuina ez dela gezurra…

bazkalostean, kontuz non jartzen zaren,
eta estali sudurra!